This book
belongs to

. . . .

. . . .

The publisher acknowledges receipt of the
Scottish Government's Scots Language
Publication Grant towards this publication

Scottish Government
Riaghaltas na h-Alba
gov.scot

Foreword

I have been privileged to have visited Ruthie Redden's studio and to have stood among this wonderful artist's creative treasures. Also, I have been lucky enough to hear master storyteller Susi Briggs tell her own tales. So let me tell you straight up; I love their work. It's personal. I'm a fan.

The combined artistry in both Nip Nebs and Nip Nebs and the Last Berry is cause for celebration. It is also cause for an outbreak of sharing and goodwill! So, share these beautiful stories with your sister's wean in Australia. Share them with your granny. Share them with the new Scots who have just moved into your street from faraway places. Share them wi some girnie gub and cheer them up a bit!

When I read the Nip Nebs stories I feel the rhythms o my ain folk, my grannies and grandas and those before them. The absolute charm of the book crosses generations and cultures. That is the magic and the sheer Nip Nebbery of it!

Publishers Curly Tales Books deserve enormous credit for making such quality books that have been written, illustrated, printed and published in Bonnie Galloway, Scotland.

I wish Nib Nebs and The Last Berry every success as it journeys out to the wide world.

Gary Lewis
(Actor Outlander, Billy Elliot, Gangs of New York)

For Mam and Dad wha encouraged me tae share nice wi my siblings! - S.B.

For my Grandad who taught me to look for magic in the wild places - R.R.

Nip Nebs
and the Last Berry

Written by Susi Briggs
Illustrated by Ruthie Redden

Published by
Curly Tale Books Ltd

It wis a cauld frosty mornin in auld Jeannie's gairden. If ye luiked across the skinklan grass ye wid see an ancient hawtree. If ye wis tae tak a dauner ower the skinklan grass an went doon oan tae yer hunkers ye wid see there wis a wee hole at the bottom o the hawtree. If ye wis tae pit yer lug tae the hole ye wid hear twa odd soonds. Ane wis like a saft buzzy soond like a bummle bee sleepin an the ither wis like a squeaky swing.

If ye wis e'en mair curious ye wid close ane o yer een an hae a peerie luik intae the hole wi the ither. An if ye did aw that ye wid hae seen Nip Nebs cooried doon aside Wee Moosie. They baith wid hae been saftly sleepin til the efternin had it no been fer the awfae stooshie comin fae the tap o the hawtree.

CHiRRup CHiRRup Choo!
Chirrup Chirrup Choo!
Chit chit Chit chit Choo!

Nip Nebs woke first an lay there thinkin he wid wait it oot an see if the birds wid calm doon but they didnae. Nip Nebs opened his een an listened properly. He kent the language o aw the animals an he unnerstood birdsang. This is whit he heard.

'IT'S MINES. MA TREE. MA GAIRDEN! NAW! MINES! A SEEN IT FIRST. THAT IS WHAUR YE'R WRANG! MINES! A WIS HERE FIRST!'

Then aw o a sudden Wee Moosie's nest shoogled an aw his stuff went tapselteerie! The acorn bunnets tummelt aff the shelf an stotted aff Wee Moosie's heid. Whit a clatter! He wis fair scunnered! He luiked at Nip Nebs an said, 'Ye better gan up an sort oot that cairry oan!'

Chirrup chirrup choo!

chit choo!

chit

chit

Chirrup chirrup chit choo!

Chirrup chirrup

An sae it went oan. Nip Nebs pit oan his shin an clammered up tae the tap o the hawtree. There at the tap wis three birds, a robin, mistle thrush an a blackbird. They wis aw staunin roon the biggest, maist juiciest berry Nip Nebs had ever seen. It wis THE LAST BERRY!

Chirrup Chirrup Choo

Nip Nebs tried tae get their attention an politely coughed,
'Ahem ...'
CHIRRUP CHIRRUP CHOO! CHIT CHIT CHOO! CHIRRUP CHIRRUP CHIT CHOO!
It didnae wirk so he tried again a bit looder,
'AHEM!'
CHIRRUP CHIRRUP CHOO! CHIT CHIT CHOO!
CHIRRUP CHIRRUP CHIT CHOO!

That didnae wirk either! Sae he decided tae tell them tae
"Haud their wheesht" in their ain language.
Sae he pit his hauns ower his lugs, closed his een,
taen a deep breith an shooted...

Nip Nebs taen his hauns aff his lugs an opened his een, the birds wis aw luikin at him.

'Guid mornin birds!' said Nip Nebs, 'A cuid cut that berry up intae three pieces an ye aw can get a bit each. Wid ye like that?'

Robin luiked at blackbird. Blackbird luiked at mistle thrush. Mistle thrush luiked at the last berry. The last berry luiked at naebuddy cos it didnae hae een.

Then robin girned first 'Nnnnaaw...its ma berry! Oan ma tree! In ma gairden!'
Then mistle thrush shooted 'But a saw it first! It's ma berry!'
And blackbird shooted looder 'Naw! A telt ye! It's ma berry a wis here first!'
Whit a stramash! Nip Nebs tried yince mair fer tae get them tae see reason.
He pit his hauns ower his lugs, closed his een an taen a deep breith.

Chirrrrrrrrrrup!

choo

When he taen his hauns awa fae his lugs there wis sweet silence. When he opened his een the birds had gane but the last berry wis still there! Nip Nebs luiked doon atween the brainches o the tree. The birds wis aw peckin at seeds an nuts auld Jeannie had pitten oot fer them. They were quietly fillin their bellies. Finally some peace!

Then Nip Nebs luiked at the last berry an *pinkled* it!

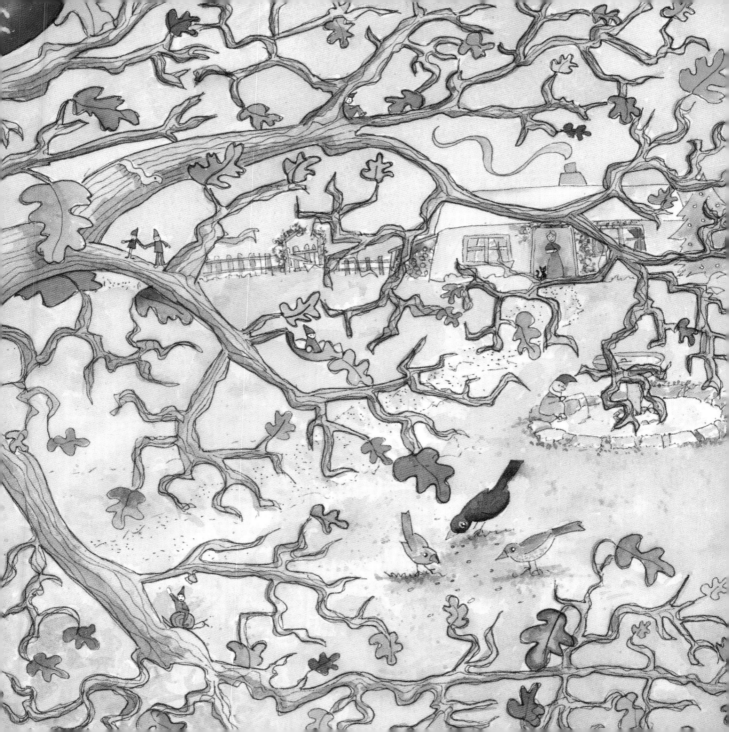

Nip Nebs taen the last berry back tae Wee Moosie's nest. He cut it intae twa bits an shared it wi his freen.

When they were baith fu o juicy rid berry they cooried back doon fer a wee slumber.

The Moral o this story is . . .

if ye dinna share nice
ye micht get naethin ataw!

Nip Nebs - Glossary

A – I

Aff – off

Ain – own

An – And

Ance mair – once (yince) more

Ane- one (said like yin)

Ataw –at all

Atween – between

Auld -old

Aw – all

Awa – away

Awfae – awful

Baith –both

Birdsang – birdsong

Brainches – branches

Breith – breath

Bummle – Bumble

Bunnets – hats

Cairried – carried

Cairry oan – carry on (fuss)

Cauld –Cold

Clammered – climbed

Cooried doon–cuddled down

Cuid – could (sounds the same)

Dauner ower – wander over

Didnae – didn't

Doon oan tae yer hunkers– squat down

E'en mair – even more

Een – eyes

Efternin – Afternoon

Nip Nebs - Glossary

Fer – For

Freen – friend

Fu - Full

Gairden – Garden

Gan – go

Gane –gone

Girned – moaned,whined

Guid – good (geed)

Hae – have

Haud their weesht – please be quiet

Hauns –hands

Hawtree – Hawthorn tree

Heid – head

Intae – into

Ither –other

Kent – knew

Looder – louder

Lug – ear

Luik - Look

Luiked – looked (sounds the same)

Ma – my

Maist –most

Micht – might

Naebuddy – nobody

Naethin – nothing

Naw – no

No – not

Oan - on

Oot – Out

Peerie – little

Pinkled – not Scots but a word Susi
made up to mean "sneakily take"

Nip Nebs - Glossary

Pit – put

Pitten oot – put out

Riddest – reddest

Roon – around

Sae –so

Saft, saftly – soft, softly

Shin - Shoes

Shoogled – shook

Shooted - shouted

Skinklan – sparkling frost

Soonds – sounds

Staunin – standing

Stooshie – argument

Stotted - bounced

Stramash – noisy uproar

Tae – to

Taen – took

Tak - take

Tap – top

Tapselteerie – topsy turvy, upside down

Telt – told

Tummelt - tumbled

Twa – two

Unnerstood – understood

Wee – small

Whit - what

Wi - with

Wid – would

Wirk – work

Wis – Was

Wrang – wrong

Ye/yer –you/your

About the author
Susi Briggs

Image by Kim Ayres

Susi Briggs is a listed author and storyteller with the Scottish Book Trust and Scottish Storytelling Centre. She is the founder of Music Matters. All her original stories are in Scots language because she wants the next generation to see that the Scots language is as beautiful and valid as any other on this planet.

Susi and Ruthie's first original children's picture book Nip Nebs was shortlisted to win Scots Bairns' Book o the Year at the Scots Language Awards in 2019. Susi is part of the Cross Party Group for Scots Language and lives in Dumfries and Galloway with her family.

www.nipnebs.com

About the artist
Ruthie Redden

Ruthie is an artist and illustrator living and working in Dumfries and Galloway, South West Scotland. She has long been inspired by the heather strewn hills, glorious beaches and ancient woodlands that surround her home.

Through her paintings Ruthie explores Scottish folklore, history and tradition, much on the brink of being lost. She works narrative elements of folklore into her art to evoke connections to our rich Scottish heritage and to a time when we were intrinsically tied to the rhythms of Mother Nature. Ruthie is a member of the Society of Children's Book Writers and Illustrators.

www.ruthieredden.com

Big Bill's Beltie Bairns
written by Jayne Baldwin   illustrated by Shalla Gray

Other titles
available from
Curly Tale
Books

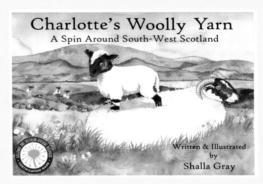

Charlotte's Woolly Yarn
A Spin Around South-West Scotland
Written & Illustrated by Shalla Gray

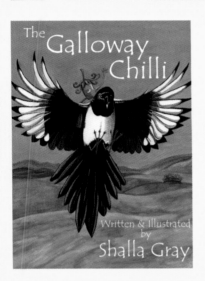

The Galloway Chilli
Written & Illustrated by Shalla Gray

Nip Nebs
Susi Briggs & Ruthie Redden

STRANGE VISITOR
Retold by: Renita Boyle   Illustrator: Mike Abel

Big Bill the Beltie Bull
Written & illustrated by Shalla Gray

Mustard & Pepper
Written by Alasdair Hutton   Illustrated by William Gorman

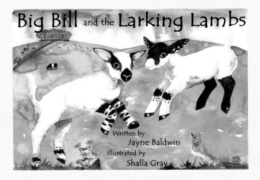

Big Bill and the Larking Lambs
Written by Jayne Baldwin
Illustrated by Shalla Gray

Curly Tale Books Ltd 2019

All rights reserved. No part of this publication may be reproduced, stored or placed into a retrieval system, or transmitted in any form, or by any means, whether electronic, recording or otherwise, without the publishers prior consent.

The moral rights of the author, Susi Briggs, and the Illustrator, Ruthie Redden have been asserted in accordance with the Design and Patents Act 1988.

Text copyright © Susi Briggs 2019
Illustrations copyright © Ruthie Redden 2019

ISBN 978-1-9996336-4-6

Published by Curly Tale Books Ltd
34 Main Street
Kirkcowan
DG8 0HG

www.curlytalebooks.co.uk

Design and layout by Ruthie Redden.

Printed by J&B Print
32A Albert Street
Newton Stewart
DG8 6EJ

Printed on 100% recycled paper